더욱 새로워진 단계별 종합 일본어 학습 프로그램

NEW うきうき 일본어 上
우키우키

강경자 지음·온즈카 치요 감수

Workbook

넥서스 JAPANESE

더욱 새로워진 단계별 종합 일본어 학습 프로그램

NEW うきうき 일본어 上
うき우키 うき우키

강경자 지음·온즈카 치요 감수

Workbook

넥서스 JAPANESE

LESSON 01

私は会社員です。
저는 회사원입니다.

Step 1 필수 단어 익히기

学生(がくせい)	학생	はじめまして	처음 뵙겠습니다
先生(せんせい)	선생님	どうぞ	부디, 아무쪼록
会社員(かいしゃいん)	회사원	よろしく	잘
私(わたし)	나, 저	お願(ねが)いします	부탁드립니다
彼(かれ)	그	あなた	당신
彼女(かのじょ)	그녀	ピアニスト	피아니스트
日本人(にほんじん)	일본인	アメリカ	미국
中国人(ちゅうごくじん)	중국인	イギリス	영국
韓国人(かんこくじん)	한국인	フランス	프랑스
歌手(かしゅ)	가수	ドイツ	독일

✏️ 제시된 단어를 예와 같이 일본어로 써 보세요.

예 회사원 会社員(かいしゃいん)

1 학생

2 선생님

3 한국인

4 일본인

5 가수

6 그녀

Step 2 핵심 문법 복습하기

❶ ～は …です ～은/는 …입니다

❷ ～では[じゃ]ありません ～이/가 아닙니다

❸ ～ですか ～입니까?

❹ はい 예 / いいえ 아니요

✏️ 빈칸에 알맞은 말을 넣어 보세요.

1 私_____ 学生です。
   는

2 彼女は 会社員_____。
          입니다

3 日本人_____。
   이 아닙니다

4 中国人_____。
   입니까?

5 _____、会社員です。
   네

6 _____、中国人では ありません。
   아니요

Step 3 회화 연습하기

✏️ 빈칸에 알맞은 말을 넣어 보세요.

I

1 _____ 学生です。
　　나는

2 彼は _____。
　　　　　가수입니다

3 山田さんは _____。
　　　　　　　일본인입니다

4 王さんは _____。
　　　　　중국인입니다

5 スミスさんは _____。
　　　　　　　미국인입니다

II

1 A 彼は _____。
　　　　　학생입니까?

　　B はい、_____。
　　　　　　학생입니다

2 A 彼は _____。
　　　　　피아니스트입니까?

　　B いいえ、_____。
　　　　　　　피아니스트가 아닙니다

3 A _____。
　　　그는 가수입니까?

　　B _____。
　　　네. 가수입니다.

4 A _____。
　　　그녀는 선생님입니까?

　　B _____。
　　　아니요. 선생님이 아닙니다.

5 A _____。
　　　그녀는 일본인입니까?

　　B _____。
　　　네. 일본인입니다.

LESSON 02 それはだれの本ですか。

그것은 누구 책이에요?

 필수 단어 익히기

本(ほん)	책	全部(ぜんぶ)	전부
車(くるま)	차	かばん	가방
日本語(にほんご)	일본어	これ	이것
帽子(ぼうし)	모자	それ	그것
時計(とけい)	시계	あれ	저것
友達(ともだち)	친구	どれ	어느 것
写真(しゃしん)	사진	ボールペン	볼펜
靴(くつ)	구두	ノート	노트
雑誌(ざっし)	잡지	ケータイ	휴대전화
会社(かいしゃ)	회사	カメラ	카메라

✏️ 제시된 단어를 예와 같이 일본어로 써 보세요.

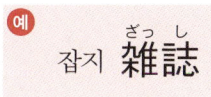

예 잡지 雑誌(ざっし)

1 책   2 차   3 일본어

4 시계   5 사진   6 친구

Step 2 핵심 문법 복습하기

❶ こ・そ・あ・ど 법칙
(이·그·저·어느 법칙)

これ	それ	あれ	どれ
이것	그것	저것	어느 것
この	その	あの	どの
이	그	저	어느
こちら	そちら	あちら	どちら
이쪽	그쪽	저쪽	어느 쪽
こんな	そんな	あんな	どんな
이런	그런	저런	어떤

❷ の의 용법

1. ~의(소유격 조사)
 私のかばん

2. ~의 것(소유대명사)
 私の

3. 명사 수식(명사와 명사를 연결)
 日本人の先生

❸ ～と ~와/과

❹ ～も ~도

✏️ 빈칸에 알맞은 말을 넣어 보세요.

1 _____ は 本です。
　　이것

2 _____ かばん
　　저

3 先生_____ めがね
　　　　　의

4 先生_____ 学生
　　　　　과

5 私_____ 学生です。
　　　도

Step 3 회화 연습하기

✎ 빈칸에 알맞은 말을 넣어 보세요.

I

1　A　この　めがねは　金(キム)さんのですか。
　　B　はい、_____。
　　　　　　김 씨의 것입니다

2　A　この　ボールペンは　あなたのですか。
　　B　いいえ、_____。
　　　　　　제 것이 아닙니다

3　A　その　時計(とけい)は　田中(たなか)さんのですか。
　　B　いいえ、_____。
　　　　　　다나카 씨의 것이 아닙니다

4　A　その　めがねは　山田(やまだ)さんのですか。
　　B　はい、_____。
　　　　　　야마다 씨의 것입니다

5　A　あの　車(くるま)は　先生(せんせい)のですか。
　　B　いいえ、_____。
　　　　　　선생님의 것이 아닙니다

II

1　A　これは　だれの　本(ほん)ですか。
　　B　_____は　_____　本(ほん)です。
　　　　그것　　　　나의

2　A　これは　だれの　ケータイですか。
　　B　_____は　_____　ケータイです。
　　　　그것　　　　친구의

3　A　それは　だれの　カメラですか。
　　B　_____は　_____　カメラです。
　　　　이것　　　　선생님의

4　A　それは　だれの　写真(しゃしん)ですか。
　　B　_____は　ナさんの　写真(しゃしん)です。
　　　　이것

5　A　あれは　_____。
　　　　　　　　누구의 신발입니까?
　　B　_____は　金(キム)さんの　くつです。
　　　　저것

LESSON 03 会社は何時から何時までですか。

회사는 몇 시부터 몇 시까지예요?

 **Step 1** 필수 단어 익히기

何時(なんじ)	몇 시	今(いま)	지금
仕事(しごと)	일, 업무	病院(びょういん)	병원
飲み会(のみかい)	술자리, 회식	授業(じゅぎょう)	수업
普通(ふつう)	보통	会議(かいぎ)	회의
半(はん)	반, 절반	美容院(びよういん)	미용실
午前(ごぜん)	오전	学校(がっこう)	학교
午後(ごご)	오후	銀行(ぎんこう)	은행
朝(あさ)	아침	デパート	백화점
昼(ひる)	낮	レストラン	레스토랑
夜(よる)	저녁	アルバイト	아르바이트

 제시된 단어를 예와 같이 일본어로 써 보세요.

예 회의 会議(かいぎ)

1 일, 업무　　2 오전　　3 보통

4 아침　　5 수업　　6 은행

Step 2 핵심 문법 복습하기

❶ **何時(なんじ)ですか** 몇 시입니까?

いちじ 1時	にじ 2時	さんじ 3時	よじ 4時	ごじ 5時	ろくじ 6時
1시	2시	3시	4시	5시	6시
しちじ 7時	はちじ 8時	くじ 9時	じゅうじ 10時	じゅういちじ 11時	じゅうにじ 12時
7시	8시	9시	10시	11시	12시

❷ **～から …まで** ~부터 …까지

❸ **～が** ~만, ~이/가

✏️ 빈칸에 알맞은 말을 넣어 보세요.

1 今(いま) _____ ですか。
　　　　　몇 시

2 病院(びょういん)は 何時(なんじ)_____ ですか。
　　　　　　　　　　　　　부터

3 アルバイトは 夜(よる)8時(じ)_____ です。
　　　　　　　　　　　　　까지

4 失礼(しつれい)です_____。
　　　　　　　만

5 これ_____ 私(わたし)のです。
　　　이

Step 3 회화 연습하기

✏️ 빈칸에 알맞은 말을 넣어 보세요.

Ⅰ

1. A すみません、今 何時ですか。
   B _____
   4시 20분입니다.

2. A すみません、今 何時ですか。
   B _____
   7시 30분입니다.

3. A すみません、今 何時ですか。
   B _____
   9시 50분입니다.

4. A すみません、今 何時ですか。
   B _____
   10시 15분입니다.

5. A すみません、今 何時ですか。
   B _____
   12시 40분입니다.

Ⅱ

1. A 会社は 何時から 何時までですか。
   B _____
   회사는 오전 9시부터 오후 5시까지입니다.

2. A 銀行は 何時から 何時までですか。
   B _____
   은행은 오전 9시부터 오후 4시까지입니다.

3. A デパートは 何時から 何時までですか。
   B _____
   백화점은 오전 10시 30분부터 오후 8시까지입니다.

4. A 病院は 何時から 何時までですか。
   B _____
   병원은 오전 9시 30분부터 오후 6시까지입니다.

5. A レストランは 何時から 何時までですか。
   B _____
   레스토랑은 오전 11시부터 오후 10시까지입니다.

LESSON 04
てんぷらうどん2つとおにぎり1つください。
튀김 우동 두 개와 주먹밥 한 개 주세요.

Step 1 필수 단어 익히기

店員(てんいん)	점원	デジタルカメラ	디지털카메라
お酒(さけ)	술	ワイシャツ	와이셔츠
人形(にんぎょう)	인형	ノートパソコン	노트북
円(えん)	엔	ラーメン	라면
ください	주세요	サンドイッチ	샌드위치
うどん	우동	トースト	토스트
いくら	얼마	ケーキ	케이크
コーヒー	커피	アイスクリーム	아이스크림
ウォン	원	いらっしゃいませ	어서 오세요
すみません	죄송합니다	ありがとうございます	감사합니다

제시된 단어를 예와 같이 일본어로 써 보세요.

예
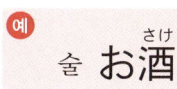
술 お酒(さけ)

1 점원

2 인형

3 커피

4 맥주

5 엔

6 와이셔츠

Step 2　핵심 문법 복습하기

1. **いくらですか** 얼마입니까?

2. **〜(を)ください** 〜(을/를) 주세요

3. **で** 〜해서, 〜에(합계한 수량) / 〜이고(구분)

4. **개수 세기**

ひとつ	ふたつ	みっつ	よっつ	いつつ
한 개	두 개	세 개	네 개	다섯 개
むっつ	ななつ	やっつ	ここのつ	とお
여섯 개	일곱 개	여덟 개	아홉 개	열 개

✏️ 빈칸에 알맞은 말을 넣어 보세요.

1　コーヒーは ＿＿＿＿＿ですか。
　　　　　　　　 얼마

2　おにぎり ＿＿＿＿＿。
　　　　　　　 주세요

3　ビール ＿＿＿＿＿ お願(ねが)いします。
　　　　　　 두 개

4　＿＿＿＿＿ 10000ウォンです。
　　 전부 해서

5　私(わたし)は 韓国人(かんこくじん)＿＿＿＿＿、山田(やまだ)さんは日本人(にほんじん)です。
　　　　　　　　　　　　　 이고

Step 3 회화 연습하기

✏️ 빈칸에 알맞은 말을 넣어 보세요.

I

1. A ワイシャツは　いくらですか。
   B ＿＿＿＿＿＿＿＿＿＿ウォンです。
   　 4만5천

2. A かばんは　いくらですか。
   B ＿＿＿＿＿＿＿＿＿＿ウォンです。
   　 27만

3. A ノートパソコンは　いくらですか。
   B ＿＿＿＿＿＿＿＿＿＿ウォンです。
   　 189만

4. A りんごは　いくらですか。
   B ＿＿＿＿＿＿＿＿＿＿＿＿＿＿＿ウォンです。
   　 사과는 두 개에 5천

5. A ももは　いくらですか。
   B ＿＿＿＿＿＿＿＿＿＿＿＿＿＿＿ウォンです。
   　 복숭아는 4개에 6천

II

1. A サンドイッチは　いくらですか。
   B ＿＿＿＿＿＿＿＿＿＿＿＿＿＿＿＿＿＿＿＿＿＿＿
   　 햄 샌드위치는 440엔이고 에그 샌드위치는 510엔입니다.

2. A コーヒーは　いくらですか。
   B ＿＿＿＿＿＿＿＿＿＿＿＿＿＿＿＿＿＿＿＿＿＿＿
   　 아메리카노는 450엔이고 카페모카는 530엔입니다.

3. A アイスクリームは　いくらですか。
   B ＿＿＿＿＿＿＿＿＿＿＿＿＿＿＿＿＿＿＿＿＿＿＿
   　 말차 아이스크림은 590엔이고 망고 아이스크림은 620엔입니다.

4. A ケーキは　いくらですか。
   B ＿＿＿＿＿＿＿＿＿＿＿＿＿＿＿＿＿＿＿＿＿＿＿
   　 초콜릿 케이크는 520엔이고 치즈 케이크는 480엔입니다.

5. A ぜんぶで　いくらですか。
   B ＿＿＿＿＿＿＿＿＿＿＿＿＿＿＿＿＿＿＿＿＿＿＿
   　 전부해서 7만5천엔입니다.

LESSON 05　お誕生日はいつですか。
생일은 언제예요?

Step 1　필수 단어 익히기

誕生日	생일	何曜日	무슨 요일
いつ	언제	月曜日	월요일
生まれ	생, 태생, 출생	火曜日	화요일
今日	오늘	水曜日	수요일
明日	내일	木曜日	목요일
ぼく	나(남자 1인칭)	金曜日	금요일
休み	휴일, 휴가, 방학	土曜日	토요일
春	봄	日曜日	일요일
年	년	ソウル	서울
来週	다음 주	おめでとうございます	축하드립니다

제시된 단어를 예와 같이 일본어로 써 보세요.

1　생일

2　오늘

3　휴일, 방학

4　다음 주

5　토요일

6　일요일

Step 2 핵심 문법 복습하기

❶ いつですか　언제입니까?

❷ 〜じゃありませんか　〜(이)지 않습니까?

❸ 〜ですね　〜이군요, 〜이네요

❹ 生(う)まれ　〜생, 태생, 출생

いちがつ 1月	にがつ 2月	さんがつ 3月	しがつ 4月	ごがつ 5月	ろくがつ 6月
1월	2월	3월	4월	5월	6월
しちがつ 7月	はちがつ 8月	くがつ 9月	じゅうがつ 10月	じゅういちがつ 11月	じゅうにがつ 12月
7월	8월	9월	10월	11월	12월

✏️ 빈칸에 알맞은 말을 넣어 보세요.

1　お誕生日(たんじょうび)は ＿＿＿＿＿＿ですか。
　　　　　　　　　　　언제

2　日本語(にほんご)の　先生(せんせい)＿＿＿＿＿＿＿＿。
　　　　　　　　　　　　　　　　이 아니에요?

3　もう　春(はる)＿＿＿＿＿。
　　　　　　　　이네요

4　彼女(かのじょ)は　ソウル＿＿＿＿＿です。
　　　　　　　　　　　　　　출생

Step 3 회화 연습하기

✏️ 빈칸에 알맞은 말을 넣어 보세요.

I

1. A ついたち
1日は 何曜日(なんようび)ですか。
   B _____
   목요일입니다.

2. A ここのか
9日は 何曜日(なんようび)ですか。
   B _____
   금요일입니다.

3. A じゅうよっか
14日は 何曜日(なんようび)ですか。
   B _____
   수요일입니다.

4. A じゅうくにち
19日は 何曜日(なんようび)ですか。
   B _____
   월요일입니다.

5. A にじゅうよっか
24日は 何曜日(なんようび)ですか。
   B _____
   토요일입니다.

II

1. A 何月(なんがつ) 何日(なんにち)ですか。
   B _____
   1월 10일입니다.

2. A 何月(なんがつ) 何日(なんにち)ですか。
   B _____
   3월 3일입니다.

3. A 何月(なんがつ) 何日(なんにち)ですか。
   B _____
   5월 8일입니다.

4. A 何月(なんがつ) 何日(なんにち)ですか。
   B _____
   8월 15일입니다.

5. A 何月(なんがつ) 何日(なんにち)ですか。
   B _____
   12월 24일입니다.

LESSON 06

日本語は易しくて面白いです。
일본어는 쉽고 재미있어요.

Step 1 필수 단어 익히기

韓国語 (かんこくご)	한국어	暑い (あつい)	덥다
発音 (はつおん)	발음	寒い (さむい)	춥다
漢字 (かんじ)	한자	熱い (あつい)	뜨겁다
勉強 (べんきょう)	공부	冷たい (つめたい)	차갑다
天気 (てんき)	날씨	高い (たかい)	비싸다. 높다
面白い (おもしろい)	재미있다	安い (やすい)	싸다
難しい (むずかしい)	어렵다	近い (ちかい)	가깝다
易しい (やさしい)	쉽다	遠い (とおい)	멀다
大きい (おおきい)	크다	新しい (あたらしい)	새롭다
小さい (ちいさい)	작다	古い (ふるい)	오래되다, 낡다

 제시된 단어를 예와 같이 일본어로 써 보세요.

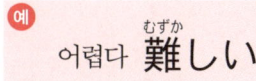
예 어렵다 難(むずか)しい

1 한자

2 공부

3 덥다

4 가깝다

5 새롭다

6 날씨

Step 2 핵심 문법 복습하기

① い형용사

기본형 + です	~(ㅂ)니다(정중형)	やさしいです 쉽습니다
어간 + くないです / くありません	~(하)지 않습니다 (정중한 부정형)	やさしくないです / やさしくありません 쉽지 않습니다
기본형 + 명사	~한(수식형)	やさしい日本語 쉬운 일본어
어간 + くて	~(하)고(나열) / ~이어서(이유 설명)	やさしくて 쉽고, 쉬워서

✏️ 빈칸에 알맞은 말을 넣어 보세요.

1 日本語の 勉強は _____。
   　　　　　　　　　　　　재미있습니다

2 今日は _____。
   　　　　　　덥지 않습니다

3 _____ キムチ
   　매운

4 _____ 高い 車
   　크고

5 漢字が _____、大変です。
   　　　　　어려워서

6 この ケーキは とても おいしいです_____。
   　　　　　　　　　　　　　　　　　　　　요(강조)

Step 3 회화 연습하기

✏️ 빈칸에 알맞은 말을 넣어 보세요.

Ⅰ

1. **A** この　カメラは　大きいですか。
   B いいえ、_____
   　　　　　크지 않습니다. 작습니다.

2. **A** 部屋は　広いですか。
   B いいえ、_____
   　　　　　넓지 않습니다. 좁습니다.

3. **A** 夏は　寒いですか。
   B いいえ、_____
   　　　　　춥지 않습니다. 덥습니다.

4. **A** キムチは　甘いですか。
   B いいえ、_____
   　　　　　달지 않습니다. 맵습니다.

5. **A** この　車は　新しいですか。
   B いいえ、_____
   　　　　　새롭지 않습니다. 오래되었습니다.

Ⅱ

1. **A** どんな　先生ですか。
   B _____ 先生です。
   　　　상냥하고 재미있는

2. **A** どんな　かばんですか。
   B _____ かばんです。
   　　　작고 귀여운

3. **A** どんな　コーヒーですか。
   B _____ コーヒーです。
   　　　뜨겁고 맛있는

4. **A** どんな　店ですか。
   B _____ 店です。
   　　　새롭고 넓은

5. **A** どんな　天気ですか。
   B _____ 天気です。
   　　　따뜻하고 좋은

LESSON 07 すてきな都市です。
멋진 도시입니다.

Step 1 필수 단어 익히기

どんな	어떤	親切だ	친절하다
都市	도시	静かだ	조용하다
港町	항구 도시	元気だ	건강하다
きれいだ	예쁘다, 깨끗하다	真面目だ	성실하다
海	바다	便利だ	편리하다
すてきだ	멋지다, 훌륭하다	不便だ	불편하다
いっぱい	가득	簡単だ	간단하다
代表的だ	대표적이다	楽だ	편하다
賑やかだ	번화하다, 번잡하다	丈夫だ	튼튼하다
有名だ	유명하다	ハンサムだ	핸섬하다

제시된 단어를 예와 같이 일본어로 써 보세요.

예 항구 도시 港町

1 도시   2 예쁘다   3 유명하다

4 친절하다   5 편리하다   6 멋지다

Step 2 　핵심 문법 복습하기

❶ な형용사(형용동사)

형태	의미	예
어간 + です	~(ㅂ)니다(정중형)	有名です　유명합니다
+ では[じゃ]ありません では[じゃ]ないです	~(하)지 않습니다 (정중한 부정형)	有名では[じゃ]ありません 有名では[じゃ]ありません 유명하지 않습니다
+ な + 명사	~한(수식형)	有名な人　유명한 사람
+ で	~(하)고(나열) / ~이어서(이유 설명)	有名で　유명하고, 유명해서

❷ ～から　～때문에, ～이니까(이유 설명)

빈칸에 알맞은 말을 넣어 보세요.

1　この　町は _____。
　　　　　　　　　변화합니다

2　彼女は _____。
　　　　　　친절하지 않습니다

3　_____　会社
　　유명한

4　_____　ハンサムな　人
　　성실하고

5　ここは _____、いいです。
　　　　　　　조용해서

6　料理が _____。
　　　　　　맛있기 때문에(맛있으니까)

Step 3 회화 연습하기

✏️ 빈칸에 알맞은 말을 넣어 보세요.

Ⅰ

1. A 中村さんは ハンサムですか。
   B はい、_____。
   　　　　　핸섬합니다

2. A 金さんは 親切ですか。
   B はい、_____。
   　　　　　친절합니다

3. A ダンスは 上手ですか。
   B はい、_____。
   　　　　　잘합니다

4. A この 車は きれいですか。
   B いいえ、_____。
   　　　　　깨끗하지 않습니다

5. A 町は 静かですか。
   B いいえ、_____。
   　　　　　조용하지 않습니다

Ⅱ

1. A どんな 人ですか。
   B _____
   　핸섬하고 부유한 사람입니다.

2. A どんな 学生ですか。
   B _____
   　건강하고 성실한 학생입니다.

3. A どんな 車ですか。
   B _____
   　튼튼하고 편리한 차입니다.

4. A どんな 仕事ですか。
   B _____
   　간단하고 편한 일입니다.

5. A どんな 先生ですか。
   B _____
   　친절하고 멋진 선생님입니다.

LESSON 08 どんな音楽が好きですか。
어떤 음악을 좋아하세요?

Step 1 필수 단어 익히기

春 はる	봄	家族 かぞく	가족
夏 なつ	여름	お金 かね	돈
秋 あき	가을	健康 けんこう	건강
冬 ふゆ	겨울	一番 いちばん	가장, 제일
犬 いぬ	개	好きだ す	좋아하다
猫 ねこ	고양이	嫌いだ きら	싫어하다
音楽 おんがく	음악	上手だ じょうず	잘하다, 능숙하다
海 うみ	바다	下手だ へた	못하다, 서투르다
山 やま	산	大切だ たいせつ	소중하다
季節 きせつ	계절	重要だ じゅうよう	중요하다

제시된 단어를 예와 같이 일본어로 써 보세요.

예 못하다, 서투르다 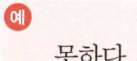 下手だ

1 계절   2 고양이   3 가족

4 능숙하다   5 좋아하다   6 건강

Step 2　핵심 문법 복습하기

❶ ~을 좋아하다

~が 好きです　~을/를 좋아합니다.

どんな ~が 好きですか　어떤 ~을/를 좋아하세요?

❷ 비교 구문

AとBと どちらが ~ですか　A와 B (둘 중에서) 어느 쪽을 (더) ~하세요?

AよりBのほうが ~です　A보다 B 쪽을 (더) ~해요

❸ 최상급 구문

一番　가장, 제일

~の中で　~(의) 중에서

何　무엇 / いつ　언제 / だれ　누구 / どこ　어디 / どれ　어느 것

✏️ 빈칸에 알맞은 말을 넣어 보세요.

1　音楽_____。
　　　　　을 좋아합니다

2　_____ スポーツが 好きですか。
　　어떤

3　海_____ 山_____ _____が 好きですか。
　　　하고　　　하고　　　어느 쪽

4　東京_____ ソウルの_____が 寒いです。
　　　　보다　　　　　쪽

5　_____ 有名です。
　　가장

6　季節の _____ 秋が 一番 好きです。
　　　　　　중에서

Step 3 회화 연습하기

✏️ 빈칸에 알맞은 말을 넣어 보세요.

Ⅰ

1. A 日本語と 英語と どちらが 上手ですか。
   B _____
   일본어(쪽)을 (더) 잘합니다.

2. A バスと 地下鉄と どちらが 便利ですか。
   B _____
   지하철 쪽이 (더) 편리합니다.

3. A お金と 健康と どちらが 大切ですか。
   B _____
   건강 쪽이 (더) 중요합니다.

4. A 恋人と 友達と どちらが いいですか。
   B _____
   애인 쪽이 (더) 좋습니다.

5. A 家族と 仕事と どちらが 重要ですか。
   B _____
   가족 쪽이 (더) 중요합니다.

Ⅱ

1. A 果物の中で 何が 一番 好きですか。
   B _____
   사과를 가장 좋아합니다.

2. A 歌手の中で だれが 一番 好きですか。
   B _____
   아이유를 가장 좋아합니다.

3. A 季節の中で いつが 一番 好きですか。
   B _____
   가을을 가장 좋아합니다.

4. A 韓国の 山の中で どこが 一番 好きですか。
   B _____
   지리산을 가장 좋아합니다.

5. A コーヒーと 紅茶と コーラの中で どれが 一番 好きですか。
   B _____
   커피를 가장 좋아합니다.

LESSON 09

クラスに学生は何人いますか。
반에 학생은 몇 명 있어요?

Step 1 필수 단어 익히기

花 (はな)	꽃	上 (うえ)	위
木 (き)	나무	下 (した)	아래
現金 (げんきん)	현금	中 (なか)	안
銀行 (ぎんこう)	은행	外 (そと)	밖
本屋 (ほんや)	서점, 책방	前 (まえ)	앞
郵便局 (ゆうびんきょく)	우체국	後ろ (うしろ)	뒤
女の子 (おんなのこ)	여자아이	隣 (となり)	이웃, 옆
男の子 (おとこのこ)	남자아이	向かい (むかい)	맞은 편
楽しい (たのしい)	즐겁다	回り (まわり)	주위
目的 (もくてき)	목적	横 (よこ)	옆

제시된 단어를 예와 같이 일본어로 써 보세요.

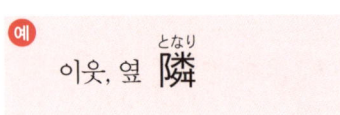

예) 이웃, 옆 隣 (となり)

1 현금   2 은행   3 앞

4 뒤   5 옆   6 서점

Step 2 핵심 문법 복습하기

(무생물, 식물)	(생물: 사람, 동물)
あります 있습니다	います 있습니다
ありません 없습니다	いません 없습니다
~に あります ~에 있습니다	~に います ~에 있습니다
どこに ありますか 어디에 있습니까?	どこに いますか 어디에 있습니까?

✏️ 빈칸에 알맞은 말을 넣어 보세요.

1 つくえと いすが _____。
　　　　　　　　　　　　있습니다

2 現金(げんきん)は _____。
　　　　　　　　　없습니다

3 犬(いぬ)が _____。
　　　　　　있습니다

4 恋人(こいびと)は _____。
　　　　　　　　없습니다

5 会社(かいしゃ)は 駅(えき)の そば_____。
　　　　　　　　　　　　　　　　에 있습니다

6 本(ほん)は _____ ありますか。
　　　　　어디에

Step 3 회화 연습하기

✏️ 빈칸에 알맞은 말을 넣어 보세요.

I

1. A 本_{ほん}は どこに ありますか。
   B _____
   책상 위에 있습니다.

2. A 財布_{さいふ}は どこに ありますか。
   B _____
   가방 안에 있습니다.

3. A 雑誌_{ざっし}は どこに ありますか。
   B _____
   소파 밑에 있습니다.

4. A 山田_{やまだ}さんは どこに いますか。
   B _____
   다나카 씨 옆에 있습니다.

5. A 猫_{ねこ}は どこに いますか。
   B _____
   강 씨 앞에 있습니다.

II

1. A 銀行_{ぎんこう}は どこに ありますか。
   B _____
   은행은 회사 옆에 있습니다.

2. A デパートは どこに ありますか。
   B _____
   백화점은 우체국 앞에 있습니다.

3. A コンビニは どこに ありますか。
   B _____
   편의점은 우체국 근처에 있습니다.

4. A 郵便局_{ゆうびんきょく}は どこに ありますか。
   B _____
   우체국은 백화점 뒤에 있습니다.

5. A 本屋_{ほんや}は どこに ありますか。
   B _____
   서점은 은행의 맞은편에 있습니다.

LESSON 10

暇な時、何をしますか。
한가할 때 무엇을 합니까?

Step 1 필수 단어 익히기

食堂(しょくどう)	식당	死ぬ(し)	죽다
種類(しゅるい)	종류	遊ぶ(あそ)	놀다
映画(えいが)	영화	飲む(の)	마시다
暇だ(ひま)	한가하다	読む(よ)	읽다
嬉しい(うれ)	기쁘다	見る(み)	보다
会う(あ)	만나다	起きる(お)	일어나다
行く(い)	가다	食べる(た)	먹다
泳ぐ(およ)	헤엄치다	寝る(ね)	자다
話す(はな)	이야기하다	来る(く)	오다
待つ(ま)	기다리다	する	하다

제시된 단어를 예와 같이 일본어로 써 보세요.

예 종류 種類(しゅるい)

1 식당

2 기쁘다

3 가다

4 놀다

5 자다

6 영화

Step 2 핵심 문법 복습하기

❶ **동사의 ます형**
- Ⅰ그룹 동사 (5단 동사): う단 → い단 + ます
- Ⅱ그룹 동사 (상하 1단 동사): 어간 + ます
- Ⅲ그룹 동사 (불규칙 동사): 来る ➡ 来ます / する ➡ します

❷ **ます** ~(합)니다(동사의 정중형) / **ません** ~(하)지 않습니다(정중 부정형)

❸ **ました** ~(했)습니다(동사의 과거형) / **ませんでした** ~(하)지 않았습니다(과거 부정형)

❹ **조사**
- ~を ~을/를 / ~と ~와/과 / ~へ ~에, ~로(방향)
- ~で ~에서(장소), ~로(도구) / ~に ~에(위치, 시점), ~을/를(대상)

빈칸에 알맞은 말을 넣어 보세요.

1. 会う (만나다) _____ (만납니다)
2. 行く (가다) _____ (갑니다)
3. 話す (이야기하다) _____ (이야기합니다)
4. 待つ (기다리다) _____ (기다립니다)
5. 死ぬ (죽다) _____ (죽었습니다)
6. 飲む (마시다) _____ (마셨습니다)
7. 帰る (돌아가다) _____ (돌아갔습니다)
8. 見る (보다) _____ (보지 않습니다)
9. 食べる (먹다) _____ (먹지 않습니다)
10. 来る (오다) _____ (오지 않았습니다)

Step 3 회화 연습하기

✏️ 빈칸에 알맞은 말을 넣어 보세요.

Ⅰ

1. A 学校に _____。(行く)
   　　　갑니까?
   B はい、_____。
   　　　　　갑니다

2. A コーヒーを _____。(飲む)
   　　　　　　마십니까?
   B いいえ、_____。
   　　　　　　마시지 않습니다

3. A 日本語で _____。(話す)
   　　　　　이야기합니까?
   B はい、_____。
   　　　　　이야기합니다

4. A 朝早く _____。(起きる)
   　　　　일어납니까?
   B いいえ、_____。
   　　　　　일어나지 않습니다

Ⅱ

1. A 早く 家に _____。(帰る)
   　　　　　　돌아갔습니까?
   B はい、_____。
   　　　　　돌아갔습니다

2. A 飲み屋へ _____。(行く)
   　　　　　갔습니까?
   B いいえ、_____。
   　　　　　　가지 않았습니다

3. A 映画を _____。(見る)
   　　　　봤습니까?
   B はい、_____。
   　　　　　봤습니다

4. A デートを _____。(する)
   　　　　했습니까?
   B はい、_____。
   　　　　　했습니다

5. A 友達は _____。(来る)
   　　　　왔습니까?
   B いいえ、_____。
   　　　　　　오지 않았습니다

LESSON 11 今度の週末に遊びに行きませんか。
이번 주말에 놀러 가지 않을래요?

Step 1 필수 단어 익히기

お茶	차	時間	시간
お酒	술	雰囲気	분위기
旅行	여행	少し	조금
散歩	산책	一生懸命	열심히
買い物	쇼핑	新鮮だ	신선하다
品物	물건	出発する	출발하다
週末	주말	気軽に	(마음) 가볍게
景色	경치	休む	쉬다
食事	식사	ドライブ	드라이브
頭	머리	スキー	스키

제시된 단어를 예와 같이 일본어로 써 보세요.

예) 열심히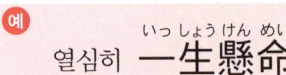

1 여행　　　2 산책　　　3 주말

4 출발　　　5 식사　　　6 경치

Step 2 핵심 문법 복습하기

❶ **목적 표현**　～に　~하러 (명사 + に / 동사의 ます형 + に)

❷ **나열 표현**　～し　~(하)고(나열)

❸ **권유 표현**　～ませんか　~하지 않겠습니까?
　　　　　　　～に行きませんか　~하러 가지 않겠습니까?
　　　　　　　～ましょう　~합시다
　　　　　　　～ましょうか　~할까요?

✏️ 빈칸에 알맞은 말을 넣어 보세요.

1　食事_____ 行きます。
　　　　　하러

2　_____ 来ます。
　　만나러

3　彼は ハンサムだ_____、頭も いいです。
　　　　　　　　　　　　하고

4　ちょっと お茶でも _____。
　　　　　　　　　　　　　마시지 않겠습니까?

5　一生懸命 _____。
　　　　　　　공부합시다

6　いっしょに _____。
　　　　　　　놀까요?

Step 3 회화 연습하기

✏️ 빈칸에 알맞은 말을 넣어 보세요.

I

1. _____ 行きませんか。
   스키 타러

2. _____ 行きませんか。
   드라이브하러

3. _____ 行きませんか。
   영화를 보러

4. _____ 行きませんか。
   술을 마시러

5. _____ 行きませんか。
   수영하러(헤엄치러)

II

1. A 何か 飲みましょうか。
   B _____
   맥주를 마십시다(마시죠).

2. A 何か 食べましょうか。
   B _____
   초밥을 먹읍시다(먹죠).

3. A どこか ショッピングに 行きましょうか。
   B _____
   명동에 갑시다.

4. A どこか 遊びに 行きましょうか。
   B _____
   드림랜드에 갑시다.

LESSON 12 おいしい冷麺が食べたいです。
맛있는 냉면을 먹고 싶어요.

Step 1 필수 단어 익히기

お昼(ひる)	점심	美(うつく)しい	아름답다
定食(ていしょく)	정식	若(わか)い	젊다
久(ひさ)しぶりに	오랜만에	立派(りっぱ)だ	훌륭하다
結婚(けっこん)	결혼	別(わか)れる	헤어지다
社会人(しゃかいじん)	사회인	帰(かえ)る	돌아가다
恋人(こいびと)	애인	メニュー	메뉴
残業(ざんぎょう)	잔업, 야근	デザイナー	디자이너
就職(しゅうしょく)	취직	アクセサリー	액세서리
最新型(さいしんがた)	최신형	サングラス	선글라스

제시된 단어를 예와 같이 일본어로 써 보세요.

예) 훌륭하다 立派(りっぱ)だ

1 결혼　　　　2 애인　　　　3 잔업

4 아름답다　　5 돌아가다　　6 점심

Step 2 핵심 문법 복습하기

❶ 희망 표현

~たい　~(하)고 싶다 (동사의 ます형에 접속)

~たくない　~(하)고 싶지 않다

~が ほしい　~을/를 갖고 싶다

~に なりたい　~이/가 되고 싶다

✎ 빈칸에 알맞은 말을 넣어 보세요.

1　日本へ ＿＿＿＿＿＿です。
　　일본에 가고 싶습니다.

2　＿＿＿＿＿＿です。
　　결혼하고 싶습니다.

3　何も ＿＿＿＿＿＿＿です。
　　아무것도 먹고 싶지 않습니다.

4　かわいい 犬が ＿＿＿＿＿＿です。
　　귀여운 개를 갖고 싶습니다.

5　有名な デザイナーに ＿＿＿＿＿＿です。
　　유명한 디자이너가 되고 싶습니다.

Step 3 회화 연습하기

✏️ 빈칸에 알맞은 말을 넣어 보세요.

Ⅰ

1. A 日本語で 話したいですか。
   B はい、_____。
   　　　　일본어로 이야기하고 싶어요

2. A 友達と 遊びたいですか。
   B はい、_____。
   　　　　친구와 놀고 싶어요

3. A 早く 家に 帰りたいですか。
   B はい、_____。
   　　　　일찍 집에 돌아가고 싶어요

4. A 恋人と 別れたいですか。
   B いいえ、_____。
   　　　　애인과 헤어지고 싶지 않아요

5. A 残業したいですか。
   B いいえ、_____。
   　　　　잔업하고 싶지 않아요

Ⅱ

1. A 今 何が 一番 ほしいですか。
   B _____。
   　　가방을 가장 갖고 싶어요.

2. A 今 何が 一番 食べたいですか。
   B _____。
   　　라면을 가장 먹고 싶어요.

3. A 今 何が 一番 飲みたいですか。
   B _____。
   　　커피를 가장 마시고 싶어요.

4. A どこへ 一番 行きたいですか。
   B _____。
   　　오키나와에 가장 가고 싶어요.

LESSON 13

地下鉄駅まで歩いて行きます。
지하철역까지 걸어서 갑니다.

 **Step 1** 필수 단어 익히기

顔(かお)	얼굴	書(か)く	쓰다
手(て)	손	聞(き)く	듣다
声(こえ)	목소리	始(はじ)める	시작하다
住所(じゅうしょ)	주소	教(おし)える	가르치다
窓(まど)	창문	説明(せつめい)する	설명하다
予約(よやく)	예약	手伝(てつだ)う	돕다, 거들다
洗(あら)う	씻다	乗(の)り換(か)える	갈아타다
言(い)う	말하다	降(お)りる	내리다
開(あ)ける	열다	歌(うた)を歌(うた)う	노래를 부르다
歩(ある)く	걷다	踊(おど)りを踊(おど)る	춤을 추다

 제시된 단어를 예와 같이 일본어로 써 보세요.

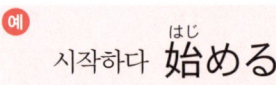
시작하다 始(はじ)める

1 얼굴   2 씻다   3 가르치다

4 설명하다   5 갈아타다   6 주소

Step 2 핵심 문법 복습하기

❶ 동사의 て형　～(하)고, ～(해)서

I그룹 동사 (5단 동사)	II그룹 동사 (상하 1단 동사)	III그룹 동사 (불규칙 동사)
く → いて / ぐ → いで (예외 行く → 行って) う, つ, る → って ぬ, ぶ, む → んで す → して	어간 + て	来る → 来て する → して

❷ ～てください　～해 주세요

❸ ～ながら　～하면서(동시 동작)　(동사의 ます형에 접속)

✎ 빈칸에 알맞은 말을 넣어 보세요.

1　朝 _____ 顔を 洗います。
　아침에 일어나서 얼굴을 씻습니다.

2　バスに _____ 会社へ 行きます。
　버스를 타고 회사에 갑니다.

3　ここに 住所を _____。
　여기에 주소를 써 주세요.

4　もう 一度 説明_____。
　한 번 더 설명해 주세요.

5　音楽を _____ コーヒーを 飲みます。
　음악을 들으면서 커피를 마십니다.

Step 3 회화 연습하기

✎ 빈칸에 알맞은 말을 넣어 보세요.

I

1. A これから 何を しますか。
   B _____
   지하철을 타고 회사에 갑니다.

2. A これから 何を しますか。
   B _____
   커피를 마시고 일을 시작합니다.

3. A これから 何を しますか。
   B _____
   친구를 만나서 식사를 합니다.

4. A これから 何を しますか。
   B _____
   집에 돌아가서 샤워를 합니다.

5. A これから 何を しますか。
   B _____
   샤워를 하고 잡니다.

II

1. すみません。_____
   수업중이니까 조용히 해 주세요.

2. すみません。_____
   비싸니까 싸게 해 주세요.

3. すみません。_____
   바쁘니까 도와주세요.

4. すみません。_____
   모르니까 가르쳐 주세요.

5. すみません。_____
   잘 안 들리니까 큰 목소리로 말해 주세요.

LESSON 14 山田さんはアマゾンを知っていますか。
야마다 씨는 아마존을 아세요?

Step 1 필수 단어 익히기

雨（あめ）	비	座る（すわる）	앉다
雪（ゆき）	눈	習う（ならう）	배우다
風（かぜ）	바람	入る（はいる）	들어가다, 들어오다
教師（きょうし）	교사	立つ（たつ）	일어서다, 서다
商社（しょうしゃ）	상사	眼鏡をかける（めがねをかける）	안경을 쓰다
病院（びょういん）	병원	帽子をかぶる（ぼうし）	모자를 쓰다
貿易会社（ぼうえきがいしゃ）	무역회사	スーツを着る（きる）	정장을 입다
知る（しる）	알다	ネクタイをしめる	넥타이를 메다
笑う（わらう）	웃다	靴をはく（くつ）	구두를 신다
住む（すむ）	살다	スカートをはく	스커트를 입다

✎ 제시된 단어를 예와 같이 일본어로 써 보세요.

예 무역회사 **貿易会社（ぼうえきがいしゃ）**

1 비

2 교사

3 앉다

4 배우다

5 살다

6 들어가다

Step 2 핵심 문법 복습하기

❶ ～ています ～(하)고 있습니다 (동사의 て형 + います)

1. 현재 진행 동작
2. 자세, 표정
3. 옷차림, 착용
4. 날씨, 사물의 상태
5. 직업, 거주지

❷ ～ている + 명사 ～하고 있는

✏️ 빈칸에 알맞은 말을 넣어 보세요.

1 レポートを _____ います。
   　　　　　　　쓰고

2 雨が _____。
   あめ　　내리고 있습니다

3 ソウルに _____。
   　　　　　　살고 있습니다

4 スーツを _____ 人が 山田さんです。
   　　　　　입고 있는　　　　　　ひと　　やまだ

5 _____ 人は 中村さんです。
   　책을 읽고 있는　　　　ひと　なかむら

Step 3 회화 연습하기

✏️ 빈칸에 알맞은 말을 넣어 보세요.

Ⅰ A 今 何を し250ていますか。

1 B 友達と _____。
   　　　　　이야기하고 있습니다

2 B 歌を _____。
   　　　　부르고 있습니다

3 B 本を _____。
   　　　　읽고 있습니다

4 B 仕事を _____。
   　　　　　하고 있습니다

5 B デートを _____。
   　　　　　　하고 있습니다

Ⅱ 1 A 金さんは どの人ですか。
   　　B _____ 人です。
   　　　　안경을 쓰고 있는

2 A 中村さんは どの人ですか。
   　B _____ 人です。
   　　　미니스커트를 입고 있는

3 A 田中さんは どの人ですか。
   　B _____ 人です。
   　　　모자를 쓰고 있는

4 A 吉田さんは どの人ですか。
   　B _____ 人です。
   　　　주스를 마시고 있는

5 A 鈴木さんは どの人ですか。
   　B _____ 人です。
   　　　웃고 있는

LESSON 15

妹さんは田中さんに似ていますか。
여동생은 다나카 씨를 닮았나요?

Step 1 필수 단어 익히기

祖父(そふ)	(자신의) 할아버지	お祖父さん(じい)	할아버지
祖母(そぼ)	할머니	お祖母さん(ばあ)	할머니
父(ちち)	아버지	お父さん(とう)	아버지
母(はは)	어머니	お母さん(かあ)	어머니
兄(あに)	형, 오빠	お兄さん(にい)	형, 오빠
姉(あね)	누나, 언니	お姉さん(ねえ)	누나, 언니
妹(いもうと)	여동생	妹さん(いもうと)	여동생(분)
弟(おとうと)	남동생	弟さん(おとうと)	남동생(분)
息子(むすこ)	아들	兄弟(きょうだい)	형제
娘(むすめ)	딸	両親(りょうしん)	양친, 부모님

✏️ 제시된 단어를 예와 같이 일본어로 써 보세요.

예
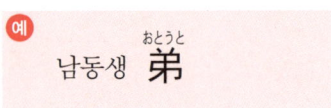
남동생 弟(おとうと)

1 양친, 부모님　　2 형제　　3 아들

4 딸　　5 여동생　　6 누나, 언니

Step 2 핵심 문법 복습하기

1. 何人兄弟ですか　형제가 몇 명이에요?
2. おいくつですか　몇 살이에요?
3. ～に 似て いる　～을/를 닮다
4. 結婚して いる　결혼한 상태

✏️ 빈칸에 알맞은 말을 넣어 보세요.

1 가족관계

	(자기 가족을 남에게 소개 할 때)	(남의 가족을 존칭)
할아버지	祖父	할아버님 ＿＿＿＿＿＿＿。
할머니	＿＿＿＿＿＿＿	お祖母さん
아버지	父	아버님 ＿＿＿＿＿＿＿。
어머니	＿＿＿＿＿＿＿	お母さん
형・오빠	兄	형님 ＿＿＿＿＿＿＿。
누나・언니	＿＿＿＿＿＿＿	お姉さん
남동생	弟	남동생분 ＿＿＿＿＿＿＿。
여동생	＿＿＿＿＿＿＿	妹さん

2 失礼ですけど、＿＿＿＿＿＿＿ですか。
　　　　　　　　　　　　　　몇 살

Step 3 회화 연습하기

✏️ 빈칸에 알맞은 말을 넣어 보세요.

I

1. A ご家族は 何人ですか。
   B ＿＿＿＿＿＿＿＿＿＿私、3人 家族です。
   　 어머니와 아버지와

2. A ご家族は 何人ですか。
   B ＿＿＿＿＿＿＿＿＿＿私、4人 家族です。
   　 아버지와 어머니와 남동생과

3. A ご家族は 何人ですか。
   B ＿＿＿＿＿＿＿＿＿＿私、5人 家族です。
   　 할아버지와 할머니와 어머니와 형과

4. A 金さんは だれに 似ていますか。
   B ＿＿＿＿＿に 似ています。
   　 아버지

5. A 中村さんは だれに 似ていますか。
   B ＿＿＿＿＿ 似ていません。
   　 아무도

II

1. A 失礼ですが、お父さんは おいくつですか。
   B ＿＿＿＿＿は 63歳です。
   　 아버지

2. A 失礼ですが、お兄さんは おいくつですか。
   B ＿＿＿＿＿＿＿＿＿＿＿＿＿＿＿＿＿＿＿
   　 형은 34살입니다.

3. A 失礼ですが、弟さんは おいくつですか。
   B ＿＿＿＿＿＿＿＿＿＿＿＿＿＿＿＿＿＿＿
   　 남동생은 27살입니다.

4. A 失礼ですが、妹さんは おいくつですか。
   B ＿＿＿＿＿＿＿＿＿＿＿＿＿＿＿＿＿＿＿
   　 여동생은 20살입니다.

LESSON 16 日本に行ったことがありますか。
일본에 간 적이 있나요?

Step 1 필수 단어 익히기

自然(しぜん)	자연	出張(しゅっちょう)	출장
海産物(かいさんぶつ)	해산물	書類(しょるい)	서류
電車(でんしゃ)	전철	読書(どくしょ)	독서
船(ふね)	배	乗(の)る	타다
飛行機(ひこうき)	비행기	案内(あんない)する	안내하다
遅刻(ちこく)	지각	チャットする	채팅하다
小説(しょうせつ)	소설	カンニングする	커닝하다
入学(にゅうがく)	입학	入院(にゅういん)する	입원하다
試験(しけん)	시험	居眠(いねむ)りする	(앉아서) 깜빡 졸다
約束(やくそく)	약속	気(き)に入(い)る	마음에 들다

제시된 단어를 예와 같이 일본어로 써 보세요.

예 온천 温泉(おんせん)

1 자연   2 지각   3 시험

4 서류   5 독서   6 비행기

Step 2 핵심 문법 복습하기

❶ 동사의 과거형 (た형)　～했다

Ⅰ그룹 동사 (5단 동사)	Ⅱ그룹 동사 (상하 1단 동사)	Ⅲ그룹 동사 (불규칙 동사)
く → いた / ぐ → いだ (예외　行く → 行った) う, つ, る → った ぬ, ぶ, む → んだ す　　　　→ した	어간 + た	来る → 来た する → した

❷ ～た ことが ある　～한 적이 있다(경험)

❸ ～んです　～이랍니다, ～이거든요(이유 설명, 강조)

❹ 형용사의 과거형　～았(었)다

い형용사	어간 + かった
な형용사	어간 + だった

✏️ 빈칸에 알맞은 말을 넣어 보세요.

1　昨日　友達に _____。
　　　　　　　　　　만났다

2　一生懸命 _____。
　　　　　　　　공부했다

3　日本へ　出張に _____。
　　　　　　　　　　　간 적이 있습니다

4　私の　大切な　人_____。
　　　　　　　　　　　이랍니다

5　ここは　本当に　交通が _____。
　　　　　　　　　　　　　　편리하답니다

Step 3 회화 연습하기

✏️ 빈칸에 알맞은 말을 넣어 보세요.

Ⅰ 1 A 日本の　ドラマを　見た　ことが　ありますか。
　　　B はい、＿＿＿＿＿＿＿＿＿＿＿＿＿＿＿＿＿＿。
　　　　　　본 적이 있어요

　　2 A 納豆を　食べた　ことが　ありますか。
　　　B いいえ、＿＿＿＿＿＿＿＿＿＿＿＿＿＿＿＿＿。
　　　　　　　먹은 적이 없어요

　　3 A 病院に　入院した　ことが　ありますか。
　　　B はい、＿＿＿＿＿＿＿＿＿＿＿＿＿＿＿＿＿＿。
　　　　　　입원한 적이 있어요

　　4 A カンニングした　ことが　ありますか。
　　　B いいえ、＿＿＿＿＿＿＿＿＿＿＿＿＿＿＿＿＿。
　　　　　　　커닝한 적이 없어요

　　5 A 電車の　中で　居眠りした　ことが　ありますか。
　　　B はい、＿＿＿＿＿＿＿＿＿＿＿＿＿＿＿＿＿＿。
　　　　　　존 적이 있어요

Ⅱ 1 A 飛行機に　乗った　ことが　ありますか。
　　　B いいえ、飛行機に　乗った　ことは　ありませんが、
　　　　＿＿＿＿＿＿＿＿＿＿＿＿＿＿＿＿＿＿＿＿＿
　　　　배를 탄 적은 있어요.

　　2 A 東京に　行った　ことが　ありますか。
　　　B いいえ、東京に　行った　ことは　ありませんが、
　　　　＿＿＿＿＿＿＿＿＿＿＿＿＿＿＿＿＿＿＿＿＿
　　　　오사카에 간 적은 있어요.

　　3 A 日本人と　デートした　ことが　ありますか。
　　　B いいえ、日本人と　デートした　ことは　ありませんが、
　　　　＿＿＿＿＿＿＿＿＿＿＿＿＿＿＿＿＿＿＿＿＿
　　　　인터넷에서 채팅한 적은 있어요.

　　4 A 焼酎を　飲んだ　ことが　ありますか。
　　　B いいえ、焼酎を　飲んだ　ことは　ありませんが、
　　　　＿＿＿＿＿＿＿＿＿＿＿＿＿＿＿＿＿＿＿＿＿
　　　　맥주를 마신 적은 있어요.

LESSON 17 あまり詳しく聞かないでください。

너무 자세하게 묻지 마세요.

 **Step 1** 필수 단어 익히기

プレゼンテーション	프레젠테이션	幼稚園	유치원
すばらしい	훌륭하다, 멋지다	小学校	초등학교
時間	시간	中学校	중학교
かかる	걸리다	高校	고등학교
具体的	구체적	大学	대학
禁煙室	금연실	大学院	대학원
詳しく	자세히, 상세히	タバコを吸う	담배를 피우다
優しい	상냥하다	写真を撮る	사진을 찍다
痛む	아프다	車を止める	차를 세우다
遅れる	늦다	無理する	무리하다

 제시된 단어를 예와 같이 일본어로 써 보세요.

 금연실 **禁煙室**

1 대학　　　　　2 금지　　　　　3 담임

4 상세히　　　　5 무리하다　　　6 첫사랑

Step 2 핵심 문법 복습하기

❶ 동사의 부정형(ない형)

Ⅰ그룹 동사 (5단 동사)	어미 う단 → あ단 + ない (예외 ～う → ～わない)
Ⅱ그룹 동사 (상하 1단 동사)	어간 + ない
Ⅲ그룹 동사 (불규칙 동사)	来る ➡ 来ない / する ➡ しない

※ 각 품사의 부정형

명사	+ では[じゃ]ない	学生ではない
い형용사 어간	+ くない	おいしくない
な형용사 어간	+ では[じゃ]ない	有名ではない

❷ ～ないでください   ~(하)지 마세요, ~(하)지 말아 주세요

❸ ～中ですから   ~중이니까

✏️ 빈칸에 알맞은 말을 넣어 보세요.

1 明日は　学校に _____。
　　　　　　　　　　　　　가지 않는다

2 お酒を _____。
　　　　　　　마시지 마세요

3 約束を _____。
　　　　　　　잊지 말아 주세요

4 真面目な　学生_____。
　　　　　　　　　　　　이었습니다

5 とても _____。
　　　　　　유명했습니다

Step 3 회화 연습하기

빈칸에 알맞은 말을 넣어 보세요.

I
1. 図書館ですから、＿＿＿＿＿＿＿＿＿＿＿＿＿＿＿。
   여기서 자지 말아 주세요
2. これは 秘密ですから、＿＿＿＿＿＿＿＿＿＿＿＿＿＿＿。
   다른 사람에게 이야기하지 마세요
3. 授業中ですから、＿＿＿＿＿＿＿＿＿＿＿＿＿＿＿。
   장난치지 마세요
4. 寒いですから、＿＿＿＿＿＿＿＿＿＿＿＿。
   창문을 열지 말아 주세요
5. たばこは よく ないですから、＿＿＿＿＿＿＿＿＿＿＿＿。
   피우지 마세요

II
1. ＿＿＿＿＿＿＿＿＿＿、スマホを 見ないで ください。
   식사 중이니까
2. ＿＿＿＿＿＿＿＿＿＿、いたずらを しないで ください。
   수업 중이니까
3. ＿＿＿＿＿＿＿＿＿＿、お酒を 飲まないで ください。
   운전 중이니까
4. ＿＿＿＿＿＿＿＿＿＿、雑談を しないで ください。
   회의 중이니까
5. ＿＿＿＿＿＿＿＿＿＿、ショッピングを しないで ください。
   업무 중이니까

LESSON 18

会社を辞めないほうがいいですよ。
회사를 그만두지 않는 편이 좋아요.

Step 1 필수 단어 익히기

毎日 (まいにち)	매일	赤字 (あかじ)	적자
給料 (きゅうりょう)	월급, 급료	薬 (くすり)	약
今晩 (こんばん)	오늘 밤	熱 (ねつ)	열
意見 (いけん)	의견	お皿 (さら)	접시
悩み (なや)	고민	運動 (うんどう)	운동
財布 (さいふ)	지갑	留学 (りゅうがく)	유학
少ない (すく)	적다	期待 (きたい)	기대
考える (かんが)	생각하다	お見舞い (みま)	병문안
思う (おも)	생각하다	疲れる (つか)	피곤하다
規則的 (きそくてき)	규칙적	運転免許を取る (うんてんめんきょ と)	운전면허를 따다

✎ 제시된 단어를 예와 같이 일본어로 써 보세요.

예

1 매일   2 급료   3 의견

4 유학   5 기대   6 병문안

Step 2 핵심 문법 복습하기

❶ ～ないほうがいい ～(하)지 않는 편이 좋다
　　　　　　　　　(동사의 부정형(ない형) + ほうが いい)

❷ ～と思(おも)います ～라고 생각합니다

❸ ～たほうがいい ～(하)는 편이 좋다
　　　　　　　　　(동사의 과거형(た형) + ほうが いい)

❹ ～てしまう[～ちゃう] ～(하)고 말다, ～해 버리다
　 ～でしまう[～じゃう]

빈칸에 알맞은 말을 넣어 보세요.

1　タバコは ＿＿＿＿＿＿＿＿＿＿＿＿＿＿＿。
　　　　　　　피우지 않는 편이 좋습니다

2　あまり　無理(むり)＿＿＿＿＿＿＿＿＿＿＿＿＿。
　　　　　　　　　　　하지 않는 편이 좋습니다

3　毎日(まいにち)　こつこつ　勉強(べんきょう)した　ほうが　いい＿＿＿＿＿＿＿＿＿。
　　　　　　　　　　　　　　　　　　　　　　　　　　　　　고 생각합니다

4　朝早(あさはや)く ＿＿＿＿＿＿＿＿＿＿＿＿＿。
　　　　　　　　일어나는 편이 좋습니다

5　忘(わす)れて ＿＿＿＿＿＿＿＿＿＿＿。
　　　　　　　말았습니다

Step 3 회화 연습하기

✏️ 빈칸에 알맞은 말을 넣어 보세요.

Ⅰ

1. A 留学に 行ったほうが いいですか。行かないほうが いいですか。
   B そうですね。_____と 思います。
   　　　　　　　　_{유학 가는 편이 좋다}

2. A お酒を 飲んだほうが いいですか。飲まないほうが いいですか。
   B そうですね。_____と 思います。
   　　　　　　　　_{술을 마시지 않는 편이 좋다}

3. A 熱が あるんですけど。
   B そうですか。_____
   　　　　　　　　_{오늘은 운동을 쉬는 편이 좋겠어요.}

4. A 恋人と けんかしたんですけど。
   B そうですか。_____
   　　　　　　　　_{화해하는 편이 좋겠어요.}

5. A 友達が 入院したんですけど。
   B そうですか。_____
   　　　　　　　　_{빨리 병문안 가는 편이 좋겠어요.}

6. A 疲れて 何も したくないんですけど。
   B そうですか。_____
   　　　　　　　　_{너무 무리하지 않는 편이 좋겠어요.}

Ⅱ

1. A どうしたんですか。
   B 会議に _____。
   　　　　　　_{늦어 버렸어요}

2. A どうしたんですか。
   B 財布を _____。
   　　　　　　_{잃어버렸어요}

3. A どうしたんですか。
   B 試験に _____。
   　　　　　　_{떨어지고 말았어요}

4. A どうしたんですか。
   B 赤字に _____。
   　　　　　　_{되고 말았어요}

55

정답

Lesson 01

step 1
1 学生　　2 先生　　3 韓国人
4 日本人　5 歌手　　6 彼女

step 2
1 は　　　　　　2 です
3 ではありません　4 ですか
5 はい　　　　　6 いいえ

step 3
I 1 私は
   2 歌手です
   3 日本人です
   4 中国人です
   5 アメリカ人です

II 1 学生ですか / 学生です
   2 ピアニストですか /
     ピアニストではありません
   3 彼は 歌手ですか。/ はい、歌手です。
   4 彼女は 先生ですか。/
     いいえ、先生ではありません。
   5 彼女は 日本人ですか。/
     はい、日本人です。

Lesson 02

step 1
1 本　　2 車　　　3 日本語
4 時計　5 写真　　6 友達

step 2
1 これ　　2 あの
3 の　　　4 と
5 も

step 3
I 1 金さんのです
   2 私のではありません
   3 田中さんのではありません
   4 山田さんのです
   5 先生のではありません

II 1 それ / 私の
   2 それ / 友達の
   3 これ / 先生の
   4 これ
   5 だれの くつですか / あれ

Lesson 03

step 1
1 仕事　2 午前　　3 普通
4 朝　　5 授業　　6 銀行

step 2
1 何時　　2 から
3 まで　　4 が
5 が

step 3
I 1 4時20分です。
   2 7時30分です。
   3 9時50分です。
   4 10時15分です。
   5 12時40分です。

II
1. 会社は午前9時から午後5時までです。
2. 銀行は午前9時から午後4時までです。
3. デパートは午前10時30分から午後8時までです。
4. 病院は午前9時30分から午後6時までです。
5. レストランは午前11時から午後10時までです。

Lesson 04

step 1
1. 店員　　2. 人形　　3. コーヒー
4. ビール　5. 円　　　6. ワイシャツ

step 2
1. いくら　　2. ください
3. ふたつ　　4. 全部で
5. で

step 3
I
1. 4万5千
2. 27万
3. 189万
4. りんごは2つで5千
5. ももは4つで6千

II
1. ハムサンドイッチは440円で、エッグサンドイッチは510円です。
2. アメリカーノは450円で、カフェモカは530円です。
3. 抹茶アイスクリームは590円で、マンゴーアイスクリームは620円です。
4. チョコレートケーキは520円で、チーズケーキは480円です。

5. 全部で7万5千円です。

Lesson 05

step 1
1. 誕生日　2. 今日　　3. 休み
4. 来週　　5. 土曜日　6. 日曜日

step 2
1. いつ　　　2. じゃありませんか
3. ですね　　4. 生まれ

step 3
I
1. 木曜日です。
2. 金曜日です。
3. 水曜日です。
4. 月曜日です。
5. 土曜日です。

II
1. いちがつ とおかです。
2. さんがつ みっかです。
3. ごがつ ようかです。
4. はちがつ じゅうごにちです。
5. じゅうにがつ にじゅうよっかです。

Lesson 06

step 1
1. 漢字　　2. 勉強　　3. 暑い
4. 近い　　5. 新しい　6. 天気

step 2
1. 面白いです　　2. 暑くありません
3. 辛い　　　　　4. 大きくて
5. 難しくて　　　6. よ

step 3

Ⅰ
1 大きくありません。小さいです。
2 広くありません。狭いです。
3 寒くありません。暑いです。
4 甘くありません。辛いです。
5 新しくありません。古いです。

Ⅱ
1 優しくて面白い
2 小さくてかわいい
3 熱くておいしい
4 新しくて広い
5 暖かくていい

Lesson 07

step 1

1 都市   2 きれいだ   3 有名だ
4 親切だ   5 便利だ   6 すてきだ

step 2

1 賑やかです
2 親切ではありません
3 有名な   4 真面目で
5 静かで   6 おいしいから

step 3

Ⅰ
1 ハンサムです
2 親切です
3 上手です
4 きれいではありません
5 静かではありません

Ⅱ
1 ハンサムでリッチな人です。
2 元気で真面目な学生です。
3 丈夫で便利な車です。

4 簡単で楽な仕事です。
5 親切ですてきな先生です。

Lesson 08

step 1

1 季節   2 猫   3 家族
4 上手だ 5 好きだ 6 健康

step 2

1 が 好きです   2 どんな
3 と / と / どちら   4 より / ほう
5 一番   6 中で

step 3

Ⅰ
1 日本語の ほうが 上手です。
2 地下鉄の ほうが 便利です。
3 健康の ほうが 大切です。
4 恋人の ほうが いいです。
5 家族の ほうが 重要です。

Ⅱ
1 りんごが 一番 好きです。
2 アイユが 一番 好きです。
3 秋が 一番 好きです。
4 智異山が 一番 好きです。
5 コーヒーが 一番 好きです。

Lesson 09

step 1

1 現金   2 銀行   3 前
4 後ろ   5 隣   6 本屋

step 2

1 あります   2 ありません
3 います   4 いません

5 に あります　　6 どこに

step 3

Ⅰ 1 机の上にあります。
2 かばんの中にあります。
3 ソファーの下にあります。
4 田中さんの隣にいます。
5 カンさんの前にいます。

Ⅱ 1 銀行は会社の隣にあります。
2 デパートは郵便局の前にあります。
3 コンビニは郵便局の近くにあります。
4 郵便局はデパートの後ろにあります。
5 本屋は銀行の向かいにあります。

Lesson 10

step 1

1 食堂　　2 嬉しい　　3 行く
4 遊ぶ　　5 寝る　　6 映画

step 2

1 会います　　2 行きます
3 話します　　4 待ちます
5 死にました　6 飲みました
7 帰りました　8 見ません
9 食べません　10 来ませんでした

step 3

Ⅰ 1 行きますか/行きます
2 飲みますか/飲みません
3 話しますか/話します
4 起きますか/起きません

Ⅱ 1 帰りましたか/帰りました
2 行きましたか/行きませんでした
3 見ましたか/見ました
4 しましたか/しました
5 来ましたか/来ませんでした

Lesson 11

step 1

1 旅行　　2 散歩　　3 週末
4 出発　　5 食事　　6 景色

step 2

1 に　　　　2 会いに
3 し　　　　4 飲みませんか
5 勉強しましょう　6 遊びましょうか

step 3

Ⅰ 1 スキーに
2 ドライブに
3 映画を見に
4 お酒を飲みに
5 泳ぎに

Ⅱ 1 ビールを飲みましょう。
2 おすしを食べましょう。
3 明洞(ミョンドン)へ行きましょう。
4 ドリームランドに行きましょう。

Lesson 12

step 1

1 結婚　　2 恋人　　3 残業
4 美しい　5 帰る　　6 お昼

step 2

1 行きたい　　2 結婚したい
3 食べたくない　4 ほしい
5 なりたい

step 3

I 1 日本語で 話したいです
  2 友達と 遊びたいです
  3 早く 家に 帰りたいです
  4 恋人と 別れたくないです
  5 残業したくないです

II 1 かばんが 一番 ほしいです。
   2 ラーメンが 一番 食べたいです。
   3 コーヒーが 一番 飲みたいです。
   4 沖縄へ 一番 行きたいです。

Lesson 13

step 1

1 顔　　2 洗う　　3 教える
4 説明する　5 乗り換える　6 住所

step 2

1 起きて
2 乗って
3 書いて ください
4 して ください
5 聞きながら

step 3

I 1 地下鉄に 乗って 会社に 行きます。
  2 コーヒーを 飲んで 仕事を 始めます。
  3 友達に 会って 食事を します。
  4 家に 帰って シャワーを 浴びます。
  5 シャワーを 浴びて 寝ます。

II 1 授業中ですから、静かにしてください。
   2 高いですから、安く してください。
   3 忙しいですから、手伝って ください。
   4 分からないですから、教えてください。
   5 よく 聞こえないですから、大きい声で 言ってください。

Lesson 14

step 1

1 雨　　2 教師　　3 座る
4 習う　5 住む　　6 入る

step 2

1 書いて
2 降って います
3 住んで います
4 着て いる
5 本を 読んで いる

step 3

I 1 話して います
  2 歌って います
  3 読んで います
  4 して います
  5 して います

II 1 眼鏡を かけて いる
   2 ミニスカートを はいて いる
   3 帽子を かぶって いる
   4 ジュースを 飲んで いる
   5 笑って いる

Lesson 15

step 1

1 両親（りょうしん）　2 兄弟（きょうだい）　3 息子（むすこ）
4 娘（むすめ）　5 妹（いもうと）　6 姉／お姉さん（あね／おねえさん）

step 2

1 お祖父さん（じい）／ 祖母（そぼ）／ お父さん（とう）／ 母（はは）／
お兄さん（にい）／ 姉（あね）／ 弟さん（おとうと）／ 妹（いもうと）

2 おいくつ

step 3

Ⅰ 1 母と父と
2 父と母と弟と
3 祖父と祖母と母と兄と
4 父
5 だれにも

Ⅱ 1 父
2 兄は 34 歳です。
3 弟は 27 歳です。
4 妹は 20 歳です。

Lesson 16

step 1

1 欠席（けっせき）　2 遅刻（ちこく）　3 試験（しけん）
4 書類（しょるい）　5 読書（どくしょ）　6 飛行機（ひこうき）

step 2

1 会った
2 勉強した
3 行った ことが あります
4 なんです
5 便利なんです

step 3

Ⅰ 1 見た ことが あります
2 食べた ことが ありません
3 入院した ことが あります
4 カンニングした ことが ありません
5 居眠りした ことが あります

Ⅱ 1 船に 乗った ことは あります。
2 大阪に 行った ことは あります。
3 インターネットで チャットした ことは あります。
4 ビールを 飲んだ ことは あります。

Lesson 17

step 1

1 大学（だいがく）　2 禁止（きんし）　3 担任（たんにん）
4 詳しく（くわ）　5 無理する（むり）　6 初恋（はつこい）

step 2

1 行かない
2 飲まないで ください
3 忘れないで ください。
4 でした
5 有名でした

step 3

Ⅰ 1 ここで 寝ないでください
2 他の人に 話さないでください
3 いたずらを しないでください
4 窓を 開けないでください
5 吸わないでください

Ⅱ 1 食事中ですから
2 授業中ですから

3 運転中ですから
4 会議中ですから
5 仕事中ですから

Lesson 18

🔍 step 1

1 毎日　2 給料　3 意見
4 留学　5 期待　6 お見舞い

📝 step 2

1 吸わない ほうが いいです
2 しない ほうが いいです
3 と 思います
4 起きた ほうが いいです
5 しまいました

💬 step 3

Ⅰ 1 留学に 行った ほうが いい
　2 (お酒を)飲まない ほうが いい
　3 今日は 運動を 休んだ ほうが いいですよ。
　4 仲直りした ほうが いいですよ。
　5 早く お見舞いに 行った ほうが いいですよ。
　6 あまり 無理しない ほうが いいですよ。

Ⅱ 1 遅れちゃったんです
　2 忘れちゃったんです
　3 落ちちゃったんです
　4 なっちゃったんです

Memo

うきうき 일본어
우 키 우 키